COLLECTION
LECTURE FACILE

VIVRE EN FRANÇAIS

LA CHANSON FRANÇAISE

MICHEL LAPORTE

Collection dirigée par
ISABELLE JAN

HACHETTE
58, rue Jean-Bleuzen
92170 Vanves

Crédits chansons : p. 7, *La Fille de Londres* de Pierre Mac Orlan, © MCMLII by Enoch & Cie; p. 30, *Quelque chose de Tennessee,* par Johnny Hallyday, paroles et musique de Michel Berger, © 1985 by Apache France (collection MBM), avec l'aimable autorisation de Polygram Music; p. 36, *le Poinçonneur des Lilas,* Serge Gainsbourg, éditions Warner; p. 38, *Haine pour aime,* auteur-compositeur Serge Gainsbourg, © 1983 Melody Nelson Publishing, 18 rue Papillon, 75009, Paris; p. 40, *Ex-fan des sixties,* auteur-compositeur Serge Gainsbourg, © 1978 Melody Nelson Publishing; p. 42, *Mistral gagnants,* Renaud, © 1985 Mino Music; *J'ai la guitare qui me démange,* paroles et musique d'Yves Duteil, © 1979, les éditions de l'Écritoire.

Crédits photographiques : p. 10, haut : Collection Viollet, bas : T. Mamberti / Stills; p. 11, haut : T. Mamberti / Stills, bas : P. Terrasson; p. 19, haut : Terrasson, bas : S. Arnal / Stills; p. 25, haut : F. Cocagnac / Terrasson, bas : Botti / Stills; p. 26, haut : Pecoux / Stills, bas : Botti / Stills; p. 27, haut : P. Terrasson, bas : P. Terrasson; p. 28, haut : P. Terrasson, bas : P. Terrasson; p. 32, haut : Roussel / Terrasson, bas : Terrasson; p. 33, haut : C. Gassian, bas : Terrasson; p. 34, haut : Terrasson, bas : Dupin / Stills; p. 39, haut : Botti / Stills, milieu : P. Terrasson, bas : Pat / Arnal / Stills; p. 45, haut : Terrasson, bas : C. Gassian; p. 46, haut : Terrasson, bas : Stills; p. 47 : C. Gassian; p. 50, haut : Terrasson, milieu : Terrasson, bas : C. Gassian; p. 51, haut : Terrasson, milieu : Terrasson, bas : Terrasson; p. 56 : P. Terrasson; p. 57, haut : P. Terrasson, milieu : Lenquette / Stills, bas : Terrasson; p. 58, haut : Terrasson, bas : Terrasson.

Couverture : Agata Miziewicz; photo Terrasson.

Conception graphique : Agata Miziewicz.

Composition et maquette : Joseph Dorly éditions.

Iconographie : Annie-Claude Medioni.

ISBN : 2-01-020625-8

Sommaire

NOTE : les mots accompagnés d'un * dans le texte sont expliqués dans « Mots et expressions », en page 61.

Repères

Dans *la Chanson française aujourd'hui*, parue en 1980 chez le même éditeur *, Louis-Jean Calvet écrivait : « Dans chaque pays les chansons sont différentes. » On pourrait ajouter : « et à chaque époque [1] ». Car la chanson change avec la société dont elle est le reflet.

Il y a quarante ou cinquante ans, les chanteurs des rues entraient dans les cours des immeubles. Aux premières notes de musique, les fenêtres s'ouvraient. Des pièces de monnaie tombaient pour récompenser les artistes.

Aujourd'hui, les portes des immeubles sont fermées à clef. Mais s'ils pouvaient entrer, les chanteurs perdraient leur temps. Toute la journée, les appartements sont vides. Et quand les gens rentrent chez eux, le soir, ils allument le poste de télévision ou de radio. C'est donc là que les chanteurs essaient de se faire entendre et de se faire connaître, afin de toucher un large public. La radio et la télévision jouent ainsi un rôle très important dans le monde de la chanson.

La « mondialisation » de l'information caractérise aussi cette fin de siècle. Tout ce qui se passe sur terre est télévisé en direct. La planète entière écoute ce qui arrive dans le pays le plus puissant, les États-Unis. Sa langue, l'anglais, est de plus en plus utilisée quand les gens de pays différents veulent échanger des idées et des informations.

Le domaine de la chanson n'échappe pas à cette présence de l'anglais. Il y a vingt-cinq ans, les succès étrangers étaient traduits en français avant

---

1. Époque : durée historique, par exemple l'époque 1900, les années 60, etc.

... / ...

... / ...

d'être chantés, parfois sous un titre différent, par des interprètes* français. Maintenant que le marché est mondial, une chanson en anglais a des chances de se vendre mieux qu'une chanson dans une langue parlée par moins de gens. Alors il y a des interprètes français qui préfèrent enregistrer leurs disques en anglais.

Devant tant de changements on peut se poser beaucoup de questions. La chanson française a-t-elle changé elle aussi ? Les chanteurs qui ont fait son succès [1] sont-ils toujours là ? Y a-t-il de nouveaux talents [2] ? La chanson française a-t-elle encore un avenir ?

---

1. Faire le succès de quelque chose : faire aimer quelque chose par beaucoup de gens.
2. Talent : quelqu'un qui a de grandes qualités.

CHAPITRE 1

MOI, J'AIME LE SHOW BUSINESS

Aujourd'hui, pour exister dans le métier, les chanteurs doivent passer à la télévision et à la radio. Autrefois, c'était plutôt le contraire : la radio et la télévision avaient besoin des chanteurs. Et ces derniers allaient chanter devant le micro ou la caméra exactement comme ils l'auraient fait sur la scène* d'un music-hall*.

L'animateur annonçait :

— Mesdames et messieurs nous vous prions d'écouter maintenant *la Fille de Londres* de Pierre MacOrlan sur une musique de ... interprétée* par Mlle Germaine Monteiro.

Et le piano commençait à jouer, la chanteuse chantait :

« Un rat est venu dans ma chambre
Il a rongé la souricière
Il a arrêté la pendule
Et renversé le pot à bière
Je l'ai pris entre mes bras blancs
Il était chaud comme un enfant... »

© Enoch

GRANDES SCÈNES ET PETIT ÉCRAN

À la télévision, quand on passe rapidement d'une chaîne à l'autre, on voit toujours les mêmes têtes : celles des chanteurs qui interprètent leur « dernière » chanson. Ils sont là pour faire leur « promotion » : c'est-à-dire pour faire connaître leur tout dernier disque, pour annoncer leur prochain récital* dans une grande salle parisienne ou leur départ en tournée*. Il faut toujours se renouveler pour un public qui se lasse vite.

De plus en plus, les chanteurs et leurs chansons sont considérés par les maisons de disques comme des produits à vendre. Sans cesse des chanteurs ou des groupes «nouveaux» apparaissent. Soutenus par beaucoup de publicité, ils éveillent la curiosité du grand public le temps d'un tube*. Puis, ce vif mais bref succès passé, ils disparaissent du petit écran [1]. D'autres les remplacent.

Mais il ne suffit pas de passer à la télévision. Il faut surtout «bien passer». Alors est-ce raisonnable de chanter en direct? Certains le font, mais beaucoup d'autres préfèrent ne pas prendre ce risque. La bande magnétique enregistrée en studio cachera mieux les faiblesses de l'interprète. Et puis ça lui permettra de soigner son apparence. Car l'apparence, en 1993, est devenue une chose qui a beaucoup d'importance dans tous les domaines de l'art.

Il suffit ensuite de passer une bande film enregistrée sur une vidéocassette. Bonne idée! Car ce petit film, qui va durer le temps de la chanson, va pouvoir être fait par un grand spécialiste du cinéma, ou mieux, des films de publicité. Le chanteur comme la chanson seront très bien mis en valeur. Ainsi naît le clip*.

Chaque fois qu'on le diffuse [2], il permet de montrer le chanteur à son avantage, dans un décor qui va avec la chanson et qui fait rêver: le désert, la campagne, la forêt, etc., au lieu d'un studio de télévision. Certains de ces clips sont de vraies petites merveilles, mais ils ont coûté très cher.

---

1. Petit écran : la télévision, par opposition au grand écran, qui désigne le cinéma.
2. Diffuser : faire passer à la télévision ou à la radio.

Les mauvais côtés de cette pratique sont faciles à découvrir. À condition de dépenser assez d'argent, on peut faire passer un chanteur des dizaines de fois à la télévision même s'il est incapable de chanter trois notes justes. Par ailleurs, à force de voir et de revoir tous ces clips tellement bien faits, parfaits, sans fautes, on finit par ressentir un certain ennui. L'émotion n'est pas là.

C'est pourquoi, le récital en direct n'est pas mort. Mais il a changé pour devenir plus spectaculaire et plus proche de l'image que donnent la télévision et le clip.

ADIEU BOBINO, SALUT BERCY !

Bobino était un music-hall, le temple de ce qu'on appelait la chanson «rive gauche», la chanson à texte [1]. Disparu. Détruit pour laisser la place à un immeuble en béton. Mais de toutes façons, le spectacle de music-hall, c'était fini. Fini le temps du rideau et des fauteuils en tissu rouge, finies les premières parties avec les débutants et leurs deux ou trois chansons, le temps pour chacun d'apprendre le métier.

Palais des sports, spectacle total... Depuis le début des années 70, de plus en plus de chanteurs rêvent d'imiter les groupes anglo-saxons qui attirent 50 000 personnes dans un stade. Les années 80 seront celles de la course aux concerts géants avec un nombre important de musiciens, choristes, éclairagistes, et des rayons laser, de la fumée, etc. Tout le monde voudra passer au Zénith (6 400 places) ou, encore mieux, au Palais Omnisports de Bercy (17 000 places). Et pour meubler l'immense espace, il faudra présenter de

---

1. Chansons «rive gauche», chansons à texte : chansons poétiques chantées dans les cafés de la rive gauche de la Seine — le quartier des jeunes, des étudiants et des artistes.

Bobino, le vieux music-hall, a connu les chanteurs les plus célèbres.

On aime les fauteuils rouges, l'ambiance intime de l'Olympia.

Le Palais Omnisport de Bercy, avec ses 17 000 places, est le lieu des concerts géants.

vrais spectacles. Certains d'entre eux ressembleront d'ailleurs autant à du cirque qu'à un tour de chant*.

Il semble cependant que la mode de cette folie des grandeurs soit passée aussi. La nouvelle inquiétude de beaucoup de chanteurs, c'est le son, ce qui se comprend bien. Aussi beaucoup reviennent-ils chanter dans des salles plus petites où l'on écoute avec plus de plaisir. La Grande Halle de la Villette, par exemple, l'Olympia, la Cigale, le Bataclan en font partie.

Mais, il n'y a pas que Paris en France, même si la plus grande part de la vie de la chanson s'y concentre. Deux villes de province se sont particulièrement fait remarquer pour la chanson vivante, sur scène : Bourges, avec son Printemps, et La Rochelle, avec les Francofolies.

Bourges et La Rochelle

Nous sommes en 1977, à Bourges. Depuis quelque temps, un petit groupe d'amoureux de la chanson s'inquiète. Le disque n'est-il pas en train de tuer le tour de chant ? Les salles de spectacle disparaissent. Bientôt il ne restera plus aucune scène où les chanteurs qu'ils aiment pourront chanter. Ces amoureux de la chanson à texte, de la chanson poétique, décident de faire quelque chose.

Bourges est une petite ville du centre de la France. Au temps de Jeanne d'Arc, elle fut même la capitale du royaume. C'est là que ces amateurs de belles chansons décident de créer un festival : plusieurs soirs de suite, des récitals auront lieu, animés par des espoirs [1] de la chanson en même temps que par des vedettes. Ils choisissent d'appeler leur festival le Printemps, parce que c'est la saison du renouveau et que le festival a lieu au moment de Cannes.

---

1. Espoir : ici, un débutant qui promet de devenir célèbre.

Après des moments difficiles, le Printemps de Bourges est aujourd'hui une institution [1]. Tous les grands y sont venus ou y viendront, d'autant plus qu'il s'est largement ouvert aux artistes et groupes non francophones. En 1993, il y a eu cent cinquante artistes pour soixante-dix concerts !

Les Francofolies de La Rochelle, c'est l'invention d'un animateur de radio : Jean-Louis Foulquier. Passionné de chanson française (il est lui-même ancien chanteur), il a créé un festival dans sa ville natale, au bord de l'océan Atlantique. Il y invite ses amis qui y invitent eux-mêmes leurs amis... On y entend la chanson française comme il l'aime : en direct et en public. On y trouve les chanteurs déjà connus et aimés du public et ceux qui le seront demain ou après-demain. Nées en juillet 1985, les Francofolies ont rencontré un succès grandissant, si bien qu'elles ont donné des idées au Canada et à la Bulgarie, qui ont fait la même chose.

Comme c'est dur de faire un disque !

Comment pourrait-on vivre sans les disques ? Cette question, beaucoup de responsables de radio devraient se la poser. Pourtant cette merveilleuse invention n'a que cent ans. Et le disque compact à lecture par rayon laser, né en 1983, a mis sept ans à peine pour dépasser le « vieux » disque noir.

Faire un disque est une opération compliquée, qui demande le travail de plusieurs personnes.

Il faut d'abord écrire les chansons, les paroles et la musique. Chaque auteur*, chaque compositeur* a sa méthode. Souvent le texte vient en premier et la

1. Institution : quelque chose de solide à quoi il est impossible de toucher.

musique est faite exprès pour l'accompagner. D'autres fois c'est le contraire.

Ensuite, la question de l'argent se pose très vite. Il faut produire le disque, c'est-à-dire avancer l'argent nécessaire pour le faire et aussi surveiller l'enregistrement, exercer une direction artistique. Le producteur du disque intervient à tous les moments de l'élaboration [1] du disque.

Une fois la musique écrite, il faut décider avec quels instruments la jouer, à quel moment la voix sera seule (par exemple), à quel moment tel instrument jouera en solo, etc. Ce choix s'appelle l'arrangement. Il est souvent fait par le chef d'orchestre qui accompagne le chanteur ou par le producteur (s'il est musicien).

Le chanteur et les musiciens vont alors au studio d'enregistrement. Voix, chœurs, instruments sont enregistrés sur diverses bandes magnétiques séparées. Après, vient le mixage : on mélange ces bandes pour obtenir la chanson telle qu'on l'entendra sur le disque.

Reste à faire matériellement le disque : inscrire la musique sur le plastique (le graver), faire la couverture avec le texte et l'illustration, ranger le disque dans sa boîte...

L'illustration de la page suivante donne un exemple de ces opérations. Il s'agit de la pochette du disque compact de Jane Birkin *Baby alone in Babylone* dont les paroles et la musique sont de Serge Gainsbourg.

Aujourd'hui, l'ensemble de ces opérations coûte une moyenne de 450 000 francs, même si certains budgets « légers » ne dépassent pas 100 000 francs. Ce coût important explique-t-il le prix élevé des disques ? En partie seulement.

---

1. Élaboration : faire quelque chose dans sa totalité de l'idée originale jusqu'à la mise en vente.

Alan Hawkshaw
Arrangement - Direction - Clavier

Alan Parker
Guitare

Dougie Wright
Batterie

Jim Lawless
Percussions

Enregistrement des play-backs à Londres*
Ingénieur Dick Plant

Enregistrement et mixage des voix à Paris
Ingénieur Dominique Blanc-Francard
Assisté de Patricia Guen

Gravure Jean-Marie Guérin - Polygram I. M.

La publicité à tout prix

Mais il ne suffit pas de faire un disque, il faut aussi le vendre. Le distributeur le fait parvenir avec beaucoup d'autres, tout nouveaux, dans les points de vente. Et là, tout devient compliqué. Un disque sur deux sera vendu dans les grandes surfaces (supermarchés) contre un sur trois dans les magasins de loisirs (qui vendent aussi du matériel photo, des livres, etc.) et le reste chez les disquaires.

Le disque se vendra bien si le chanteur est connu ou si on lui fait une grosse publicité. Or la publicité coûte très cher. Aujourd'hui, lancer un nouvel artiste français par les moyens habituels (presse, publicité télévisée, marketing) revient à 1 million de francs. C'est pourquoi les chanteurs débutants ont tant de difficultés à se faire connaître. Les compagnies de disques ont peu envie de placer beaucoup d'argent sur des inconnus. Certains chanteurs, dont les ventes sont moyennes, ont même du mal à faire des disques : leur maison de disques préfère tout investir dans des « coups », c'est-à-dire dans des affaires qui rapporteront beaucoup, vite et en une seule fois !

À côté de la télévision, les radios jouent un grand rôle dans la promotion d'un disque. Tout le monde finit par connaître une chanson difusée souvent à la radio. Or le grand public n'achète que ce qu'il connaît.

Alors on obtient des stations de radio qu'elles passent plusieurs fois par jour la chanson qu'on veut vendre. Et comme la radio est diffusée partout, dans les magasins, dans les ascenseurs, dans les cafés, dans les restaurants, chacun connaît la chanson par cœur avant même de s'être aperçu qu'il l'a entendue. Et, semble-t-il, ça donne envie de l'écouter encore plus en achetant le disque...

Mais si une chanson plaît au public, pourquoi la radio prendrait-elle le risque de lui déplaire avec une autre ? C'est plus simple d'aller au devant d'un goût moyen. On choisira un certain nombre de titres et on demandera aux auditeurs, par téléphone, s'ils leur plaisent. Cette liste comportera, au plus, quarante titres qui seront passés et repassés sur les ondes, certains pouvant revenir toutes les quatre-vingt-dix minutes. Il s'agit souvent de variétés internationales en anglais. On ne peut pas dire que la radio fasse beaucoup la promotion de la chanson française !

DES CHANSONS D'OR

Pour attirer l'attention du public sur certaines chansons, il existe aussi des concours et des récompenses [1].

---

1. Récompenses : ce que l'on reçoit quand on a gagné ou qu'on a bien fait quelque chose.

Dans certains cas, il s'agit surtout de récompenser la qualité du disque et du chanteur.

C'est ce que font les grands prix du disque que l'Académie Charles Cros distribue chaque année. Cette réunion de professionnels a pris le nom d'un poète du siècle passé qui est aussi l'un des inventeurs du disque. Si elle manque parfois d'audace [1] dans ses choix, elle récompense cependant toujours un disque de haute qualité. Mais elle a peu d'influence sur le grand public.

Et puis il y a les Victoires de la Musique, nées en 1985. Devant le succès des Césars, qui sont au cinéma français ce que sont les Oscars en Amérique (il y a aussi les Sept d'or pour la télévision, les Molière pour le théâtre), on a pensé à faire la même chose pour la chanson. Dans chacune des catégories, on choisit le meilleur interprète masculin, la meilleure interprète féminine, la chanson de l'année, l'album* de l'année, la révélation [2] masculine, la révélation féminine, etc. Ce sont les gens de la profession qui votent [3].

Créé en 1955, le concours de l'Eurovision réunit des interprètes qui représentent chacun un pays. Pour le gagnant (et sa maison de disques), c'est l'assurance de vendre beaucoup de disques. Mais que se passe-t-il après ? En fait, la chanson est tellement faite sur mesure pour ce soir-là que très souvent celui ou celle qui la chante ne retrouve plus jamais le succès. Rares sont les gagnants du Grand Prix de l'Eurovision à avoir fait une carrière* dans la chanson.

D'autres récompenses ont pour but d'attirer plutôt l'attention sur la réussite commerciale d'un disque : depuis 1973, le Disque d'or est remis à l'interprète dont cinq cent mille 45 tours* ou cent mille albums ont été

---

1. Audace : qualité de celui qui prend des risques
2. Révélation : qui est devenu connu, célèbre d'un seul coup.
3. Voter : choisir en donnant sa voix.

vendus. Souvent, l'heureux gagnant a réussi grâce au bon classement d'une de ses chansons au Top 50.

Le Top 50 est le classement des meilleures ventes de 45 tours – le Top 30 étant le classement des albums. Il est fait par deux instituts de sondages[1] après enquêtes auprès des grandes surfaces et des disquaires.

Ces deux classements sont publiés chaque semaine dans des magazines et à la télévision. Lancé en novembre 1984, le Top 50 a remplacé les hit-parades, qui étaient des classements plus ou moins fantaisistes[2]. Il a provoqué la disparition rapide de plusieurs des « idoles » des années précédentes, dont on disait : « Ce n'est pas très bon mais ça se vend. »

Naturellement, les grands chanteurs comme Michel Jonasz, Johnny Hallyday ou Claude Nougaro sont bien classés au Top mais très souvent en mauvaise compagnie. Car les chansons qui se vendent le plus ne sont pas toujours les meilleures. La plupart des chansons ne connaissent pas une réussite pareille. Tous les ans, la Société des auteurs compositeurs et éditeurs* de musique fait entrer dans ses fichiers soixante mille chansons nouvelles (dont une bonne part de chansons étrangères, tout de même). Beaucoup ne seront même pas enregistrées.

Cette société, la SACEM, existe depuis 1851. Elle se charge de défendre les intérêts de ceux qui écrivent les chansons. Chaque fois qu'un disque est vendu, qu'il passe à la radio ou à la télévision (sous forme de clip), elle prend de l'argent, des droits d'auteur, et le garde. À la fin de l'année, elle redistribue les droits aux auteurs et aux compositeurs.

---

1. Instituts de sondages : entreprises qui demandent leur opinion aux gens sur des thèmes variés.
2. Fantaisiste : fait de manière peu sérieuse.

Aux Victoires de la Musique, le meilleur interprète masculin de l'année, Patrick Bruel.

Le Disque de platine est remis à un groupe de chanteurs, les Pow Wow.

Les Français ont choisi

Voici quelques-unes des chansons qui ont figuré dans le Top 50 au cours des dernières années :

1980
Gaby, oh Gaby par Bashung
Il jouait du piano debout par France Gall
Marche à l'ombre par Renaud

1981
L'Aventurier par Indochine
La Danse des canards par J.-J. Lionel
Le Chanteur de blues par Michel Jonasz

1982
Les Corons par Pierre Bachelet
Hou ! la menteuse par Dorothée
Chacun fait ce qui lui plaît par Chagrin d'Amour

1983
Quand la musique est bonne par J.-J. Goldman
C'est bon pour le moral par la Compagnie créole
Cœur de rocker par Julien Clerc

1984
Toute première fois par Jeanne Mas
Femme libérée par Cookie Dingler
Love on the beat par Serge Gainsbourg

1985
Marcia Baila par Rita Mitsouko
Tombé pour la France par Étienne Daho
Ils s'aiment par Daniel Lavoie

1986
Restos du cœur par J.-J. Goldman (et les autres)
Ouragan par Stéphanie
Quelque chose de Tennessee par Johnny Hallyday

1987
Joe le taxi par Vanessa Paradis
C'est la ouate par Caroline Loeb
Viens prendre un petit verre à la maison par Licence IV

1988
Mademoiselle chante le blues par Patricia Kaas
Nougayork par Claude Nougaro

1989
Sarbacane par Francis Cabrel
Volare par Gypsy Kings

1990
Hélène par Roch Voisine
Casser la voix par Patrick Bruel

1991
Petit Franck par François Feldman
La Zoubida par Lagaff

1992
Rien que de l'eau par Véronique Sanson
Dur dur d'être un bébé par Jordy

1993
Les mariés de Vendée par Anaïs et Barbelivien

CHAPITRE 2

QUE SONT DEVENUS LES ANCIENS ?

La chanson, c'est la fusion[1] *entre les paroles et la musique...*
Charlélie Couture

Il n'y a pas si longtemps, on pouvait encore classer la chanson française en plusieurs catégories : il y avait la chanson « rive gauche », la chanson yéyé, dont on parle plus loin, la chanson politique, la chanson poétique, la chanson populaire (que l'on appelait aussi variétés)... Aujourd'hui l'opposition entre chanson à texte et chanson populaire est finie. La première, plus traditionnelle[2], reposait sur la qualité des paroles. Mais souvent la musique manquait d'originalité. La seconde avait le charme d'une musique rythmée venant du jazz ou du rock and roll. Mais les textes étaient souvent faibles ou même un peu bêtes. Désormais, les auteurs ont complètement assimilé[3] la musique anglo-saxonne : ils parviennent à faire aller ensemble ce qu'ils écrivent et ce type de musique. Ce qui tombe bien car l'auditeur moderne ne veut plus avoir à choisir entre le texte et la musique.

LES CHANTEURS « HISTORIQUES »

Ces « chanteurs historiques » comme un journaliste les a appelés, ceux qui ont marqué la chanson fran-

---

1. Fusion : le fait de se mélanger parfaitement.
2. Traditionnelle : faite comme dans le passé.
3. Assimiler : faire sien.

çaise depuis la Seconde Guerre mondiale, que sont-ils devenus ? Le temps a passé sur eux comme sur tout le monde. Certains ont fait leurs adieux [1], non seulement à leur public, mais aussi à la vie.

C'est le cas de Jacques Brel, mort en 1978. Cela faisait onze ans qu'il ne chantait plus sur scène *Ne me quitte pas*, *Amsterdam*, *Quand on n'a que l'amour*. Mais personne ne l'avait oublié. La preuve ? Quand on a su, en 1977, qu'un nouveau disque allait paraître, beaucoup de gens ont voulu l'acheter avant même de l'avoir entendu : des dizaines de milliers d'exemplaires ont été vendus d'avance. Et depuis, l'intégrale* de ses chansons a été publiée en disque compact et a eu beaucoup de succès.

Georges Brassens aussi a eu le même destin. Il a chanté une *Supplique* [2] *pour être enterré sur la plage de Sète*. C'est dans cette ville, où il était né, qu'il est mort en 1981. Son dernier tour de chant avait rempli Bobino tout l'hiver 1976-1977. Mais plus de dix ans après sa mort, l'auteur moqueur du *Gorille* et de *la Mauvaise réputation* tient encore une grande place dans la chanson française : ses disques sont tous réédités et ses chansons parfois reprises par de jeunes chanteurs.

Un autre homme du sud de la France, Bobby Lapointe, n'a jamais connu le grand succès mais il n'est pas oublié non plus depuis qu'il a disparu. Ses chansons ne ressemblent à aucune autre. C'est vrai qu'elles sont souvent difficiles à suivre, même pour un français, car elles sont faites de jeux sur les mots (*Ta Katy t'a quitté*). Mais elles sont très amusantes pour celui qui peut les comprendre.

C'est en pleine gloire qu'Yves Montand a quitté la grande scène de la vie, fin 1991. Il venait de connaître

---

1. Adieux : au revoir pour toujours.
2. Supplique : prière.

plusieurs succès populaires au cinéma (*Manon des sources, Jean de Florette*) après des tournées en France et un peu partout dans le monde. En 1981, il avait fêté ses soixante ans sur scène, à l'Olympia. Cinq mois avant la première* du spectacle, tous les fauteuils étaient réservés pour les trois mois de récital.

En 1950, Félix Leclerc avait fait connaître aux Français la chanson québécoise. C'est dans l'île d'Orléans, au Québec, que se sont arrêtés pour toujours ses souliers, qui avaient beaucoup voyagé - comme il le chantait dans un de ses grands succès (1988).

Quant à Serge Gainsbourg, mort en mars 1991, il a marqué les années 80. Mais on reparlera de lui plus loin.

Si certains ont pris leur retraite comme les Frères Jacques, les Compagnons de la chanson, ou Henri Salvador, d'autres ont largement diminué leur activité.

C'est le cas de Jean Ferrat qui ne quitte plus guère la campagne où il vit. L'interprète de *la Montagne* et de *Nuit et Brouillard* a quitté la scène depuis 1974. Mais il vit dans une demi-retraite seulement puisqu'un disque nouveau est sorti en 1992.

C'est aussi le cas de Guy Béart. Après avoir guéri d'une grave maladie, l'auteur de *l'Eau vive* et de *Qu'on est bien* n'a pas su retrouver la place qui fut la sienne, notamment à la télévision.

Barbara, la belle dame brune, s'est faite très rare sur scène. En 1981, il y a eu à Pantin, aux portes de Paris, une série de récitals avec des chansons nouvelles (l'une d'entre elles, *Pantin*, rappelle ce moment de forte proximité [1] avec le public). Puis, l'auteur de *Nantes* et du *Mal de vivre* a interprété *Lily passion* avec l'acteur Gérard Depardieu : ce spectacle a été joué au Zénith, à Paris, puis dans toute la France.

---

1. Proximité : le fait d'être près de quelqu'un ou de quelque chose.

En 1987, Gilbert Bécaud s'était risqué dans la comédie musicale avec *la Vie devant soi*. À l'Olympia, l'année suivante, le public était venu nombreux. Pourtant même si Bécaud porte encore et toujours une cravate à pois, il est loin le temps de « Monsieur 100 000 volts » comme on l'appelait alors, parce qu'il sautait et maltraitait son piano en chantant *Alors, raconte* ou *Et maintenant*. Loin aussi le public fou de 1954, les glaces brisées et les cinq cents fauteuils cassés pendant le récital.

Léo Ferré n'est pas encore à la retraite. Mais le vieux lion (comme on l'appelle parfois parce que Léo veut dire lion en latin) pense à la prendre. Il a même programmé une tournée d'adieu pour bientôt. Comme il le chante : « Avec le temps, va, tout s'en va... »

Pourtant, si la télévision l'a ignoré, s'il a longtemps été interdit à la radio, il n'a jamais perdu le contact avec son public. Dans toute la France il a promené ses cheveux longs et ses coups de gueule [1], de concert en concert. À ses admirateurs d'hier, les vieux anarchistes [2] et les anciens de mai 68, sont venus s'ajouter beaucoup de jeunes. Tels ceux qui en 1987, aux Francofolies de La Rochelle, ont fait « La Fête à Ferré ».

Serge Reggiani ? Présent ! À soixante-dix ans passés, il rentre en scène. Avec, en plus de ses anciens succès, des chansons nouvelles. Certaines sont écrites par lui-même et il compte ne pas s'arrêter de sitôt.

« Il n'y a plus d'après à Saint-Germain-des-Prés [3] » disait une de ses chansons. Mais si Saint-Germain-des-Prés n'est plus ce qu'il a été, Juliette Gréco reste elle-même, avec sa belle voix grave et ses gestes précis de

---

1. Coups de gueule : colères soudaines.
2. Anarchistes : personnes amoureuses de liberté qui ne reconnaissent aucune forme de pouvoir.
3. Saint-Germain-des-Prés : quartier de la rive gauche qui a une importante activité culturelle.

Jacques Brel,
le passionné,
le révolté.

Georges Brassens,
le poète moqueur.

Yves Montand avait fêté ses soixante ans sur scène, à l'Olympia.

Barbara, la belle dame brune, à la voix si pure, s'est faite discrète.

Léo Ferré, le vieux lion, toujours présent.

Gilbert Bécaud. Il est loin le temps de « Monsieur 100 000 volts ».

Charles Aznavour : sa curieuse voix brisée est connue dans le monde entier.

La carrière de Charles Trenet est l'exemple d'une très longue jeunesse.

grande actrice. L'interprète de *Déshabillez-moi* et des *Feuilles mortes* part souvent en tournée à travers la France et à l'étranger.

Cela fait quarante ans que Charles Aznavour est en haut de l'affiche, et il ne semble pas se fatiguer du succès. De tous les chanteurs français, il est le plus connu à l'étranger. Il chante aussi la plupart de ses grands succès en anglais, en allemand, en japonais, et plusieurs sont repris par des interprètes étrangers (*la Mamma*, par exemple). À des centaines de chansons qu'il a écrites pour lui ou pour les autres, il a ajouté un « tube » en 1989 dédié [1] aux victimes du tremblement de terre en Arménie.

Et Charles Trenet ? Il chante ! On l'a dit, on l'a répété, la chanson française de qualité lui doit tout ou presque. Tout le monde connaît et a fredonné [2] l'une ou l'autre de ses chansons : *Y a d'la joie, Je chante, l'Âme des poètes, la Mer, Douce France, Moi, j'aime le music-hall, Le Soleil a rendez-vous avec la lune, le Jardin extraordinaire*. Il a connu un moment difficile au milieu des années 70 (pendant la période du Disco), mais depuis, il a retrouvé son public et même conquis celui des jeunes générations. Sa carrière est un étonnant exemple d'une longue, très longue jeunesse : en 1993 celui qu'on a appelé « le Fou chantant » a fêté ses soixante ans de carrière... en chantant.

MAIS OÙ SONT PASSÉS LES YÉYÉS ?

Née du *rock and roll*, la vague yéyé a envahi la France des années 60. C'est alors le temps des copains, des succès rapides et des chanteurs qui ont l'âge de leurs fans*, c'est-à-dire moins de vingt ans. Mais com-

---

1. Dédié : adressé à, fait pour quelqu'un en particulier.
2. Fredonner : chanter en gardant la bouche fermée, sans dire les paroles.

ment les « idoles* » des jeunes ont-elles supporté l'usure du temps ?

Les survivants

Pour « Johnny » tout va bien. Très bien même. En fêtant ses cinquante ans, Johnny Hallyday a fêté aussi trente-quatre ans de carrière et de succès. S'il est toujours le seul véritable monument de la chanson française, avec le temps, son style a évolué. Ses chansons ont fait une part de plus en plus grande au texte. Et Johnny, qui a toujours su s'adapter aux modes successives, a demandé à Michel Berger et à Jean-Jacques Goldman d'écrire pour lui. Cela a donné des chansons comme *Quelque chose de Tennessee*, par exemple :

« On a tous quelque chose en nous de Tennessee
Cette volonté de prolonger la nuit
Ce désir fou de vivre une autre vie
Ce rêve en nous avec ses mots à lui... »

Paroles et musique : Michel Berger, © Apache 85.

Mais il a toujours besoin d'être en contact [1] avec son public, ce qui l'amène à se donner en spectacle de préférence dans des salles très grandes, comme à Bercy.

Il l'a chanté : « S'il n'en reste qu'un, je serai celui-là. » Et Eddy Mitchell est encore là. Moins remuant qu'au temps des Chaussettes Noires [2], mais avec des chansons très soignées qui montrent qu'il aime toujours autant le folklore américain (il enregistre ses disques à Nashville). Il s'intéresse de près au cinéma.

France Gall n'avait que dix-sept ans quand elle a gagné le grand prix de l'Eurovision. C'est l'époque où Gainsbourg lui écrit les chansons acidulées [3] qui vont

1. En contact : qui est très près, qui se touche.
2. Chaussettes Noires : groupe dont Eddy Mitchell était le chanteur au début de sa carrière.
3. Acidulé : avec un goût un peu piquant et vif ; le citron, par exemple, a un goût acidulé.

bien avec ses airs de petite fille sage. Par la suite Michel Berger deviendra son parolier*, son compositeur, son producteur et son mari. Cette association la fera revenir au premier plan grâce à plusieurs tubes (*Il jouait du piano debout*, *Ella*, *Babacar*) et elle se produira dans de nombreux spectacles.

Michel Polnareff est loin. Même s'il revient parfois en France, il a perdu le contact direct avec le public. Cela fait très longtemps en effet qu'il n'est pas remonté sur une scène. Il préfère les écrans des vidéos et les disques qui protègent l'isolement dans lequel il s'est enfermé.

Jacques Dutronc, dont la chanson *Paris s'éveille* a été classée chanson du siècle par un jury de journalistes et de spécialistes, fait beaucoup de cinéma comme acteur. Pourtant il n'a pas abandonné la chanson ; mais il conduit son métier à sa façon, c'est-à-dire avec beaucoup d'indépendance. Dans la vie, il a formé un duo avec Françoise Hardy qu'il a épousée. Elle a renoncé à la scène depuis longtemps (elle avait trop le trac [1]). Quand l'astrologie, qui est sa passion, lui en laisse le temps, elle écrit des chansons pour les autres et, parfois, mais trop rarement, pour elle.

Jacques Higelin a longtemps chanté dans de toutes petites salles avant de toucher le grand public dans les années 80. Le Cirque d'Hiver, Le Casino de Paris, Bercy, La Villette ont successivement accueilli ses spectacles colorés nés d'un mélange de musiques : jazz, rock, musique antillaise... et accompagnés de clowns, de danseurs, de cracheurs de feu.

Pour Julien Clerc tout a toujours semblé facile. Le succès est venu tout de suite, à vingt ans, au lendemain de mai 68. Et il est toujours là, vingt-cinq ans plus tard, quand il retrouve Étienne Roda-Gil, le paro-

---

1. Trac : peur de paraître en public.

Jacques Dutronc conduit son métier avec beaucoup d'indépendance.

Johnny Hallyday a du succès depuis trente-quatre ans.

Jacques Higelin a touché le grand public dans les années 80.

Robert Charlebois, à l'accent québécois savoureux, continue de chanter, mais plus sur scène.

Claude Nougaro : un chanteur de tout premier plan.

Pierre Perret reste l'exemple même du chanteur populaire.

lier de ses débuts. Entre-temps, il a chanté une impressionnante série de chansons très réussies dont les musiques accompagnent tellement bien les mots – à moins que ce ne soit l'inverse.

Robert Charlebois a débarqué de Montréal en 1969. Guitare électrique, guitare acoustique*, il mêlait alors avec bonheur la musique anglo-saxonne à son savoureux accent du Québec. Il continue de faire paraître des disques, mais il a déserté la scène.

Mis dehors par sa maison de disques au bout d'un quart de siècle de carrière ! C'est l'aventure déplaisante qui est arrivée à Claude Nougaro, il y a quelques années. D'autres se seraient désolés. Lui, il a réagi en chantant *Nougayork* qui a été un des très grands succès de 1988. Vingt-six ans plus tôt, *Une petite fille* l'avait imposé comme interprète et parolier. Et comme précurseur [1] aussi, puisque avec Boris Vian, Henri Salvador – et Charles Trenet un peu plus tôt – il avait voulu réaliser le mariage du français et des musiques venues de l'autre côté de l'Atlantique : blues*, jazz, swing. L'avenir lui a donné raison. Il faut rendre à Nougaro, qui se fait toujours accompagner par des jazzmen de premier plan, la place que son talent mérite : l'une des toutes premières.

Pierre Perret n'a pas grand-chose à voir avec les yéyés, mais il a débuté aussi dans les années 60. Quelques-unes de ses chansons ont connu un gros succès populaire : *le Zizi, les Jolies Colonies de vacances*... Il a aussi écrit et chanté des chansons plus tendres et poétiques : *Blanche, Lily*. Bon connaisseur de la langue populaire, amateur de bonne cuisine, rigolard [2], il a su attirer et conserver la sympathie du public.

---

1. Précurseur : qui découvre quelque chose avant tous les autres.
2. Rigolard : qui aime rire.

Les naufragés [1]

À la différence de Richard Anthony, de Monty ou de Franck Alamo qui ont décidé d'arrêter leurs activités dans le monde de la chanson, les vedettes populaires qu'ont été Sylvie Vartan, Sheila, Mireille Mathieu, Sacha Distel, Salvatore Adamo, Antoine, Hugues Aufray, Enrico Macias ou Serge Lama n'ont pas abandonné la chanson. Mais leur public ne vient plus les entendre. Certains, toutefois, continuent d'avoir du succès à l'étranger. Ou alors, ils se sont dirigés vers d'autres activités comme le théâtre ou la télévision.

Quant à Dalida qui s'est donné la mort en 1987, Claude François, disparu en 1978, et Joe Dassin, en 1980, ils ont quitté la scène et la vie en pleine gloire.

LE CAS GAINSBOURG

De Ginzburg à Gainsbarre

«J'suis le poinçonneur des Lilas
Le gars qu'on croise et qu'on
n'regarde pas...»

Serge Gainsbourg, lui, quand on le croise, on le voit. Surtout dans les années 80, quand il fait tout, ou du moins beaucoup, pour se faire remarquer. Barbe de trois jours, col ouvert, voix cassée, paroles embrouillées presque impossibles à comprendre, ivresse [2] voyante, il est devenu Gainsbarre, la superstar.

Le Poinçonneur des Lilas, qui est son premier succès, date de 1958. À cette époque, qui est celle des débuts de Brassens et de Brel, Gainsbourg joue du piano dans les bars. Il vient de modifier son nom (Lucien Ginzburg) et de laisser la peinture pour la chanson.

---

1. Naufragés : ceux qui n'ont pas pu nager quand le bateau a coulé.
2. Ivresse : état provoqué par trop d'alcool.

Les succès de ses débuts pourraient faire de lui un chanteur à texte qu'on retrouverait trente ans plus tard chantant la même chose. Mais Gainsbourg n'est pas un chanteur ordinaire. Avec une faculté d'adaptation [1] étonnante, il suit. On est yéyé, il est yéyé — avec France Gall (*Poupée de cire, poupée de son*). On est érotique, il est érotique — avec Bardot (*69, année érotique, Harley Davidson*) ou Jane Birkin (*Je t'aime, moi non plus*). On est pop, on est rock, on est reggae, on est funky... Il l'est aussi.

Et il ne se contente pas de suivre la mode. Bien sûr, mieux qu'un autre, il sent d'où vient le vent. Mais il fait aussi du neuf. Le premier en France, il écrit et enregistre un album qui raconte une histoire en chanson (*Melody Nelson* avec Jane Birkin). Et puis, tout en restant un auteur et compositeur très apprécié, tout en continuant de chanter, y compris sur scène, il devient un personnage.

Son adaptation de l'hymne national français, *la Marseillaise*, sur un rythme de reggae, en 1979, déplaît à beaucoup de gens. Il tourne des films, publie des livres et, surtout, fait scandale [2]. À la télévision, notamment, quand il brûle un gros billet de banque. C'est « Gainsbourg la provoc [3] », que l'on surnomme Gainsbarre. Il plaît à un large public, des jeunes surtout, et met en colère ou dégoûte les autres. Ceux qui l'aiment et l'admirent l'aiment parce qu'il est provocant comme ils voudraient l'être eux-mêmes, parce qu'il a du succès, parce qu'il donne l'impression d'être libre dans son langage et sa manière d'être. Et aussi parce que les chansons qu'il écrit pour lui ou pour les autres sont très réussies.

---

1. Faculté d'adaptation : talent pour changer afin de faire face aux événements.
2. Faire scandale : étonner de manière désagréable, aller contre l'opinion de quelqu'un.
3. Provoc : abréviation de provocation ; gestes, paroles destinés à mettre l'autre en colère ou à le choquer.

La galaxie[1] *Gainsbourg*

De Johnny Hallyday à Bashung ou Dutronc, de Juliette Gréco à France Gall, Serge Gainsbourg a écrit des chansons pour un nombre impressionnant de chanteurs et de chanteuses. Mais en plus, il a fait chanter les actrices. Jane Birkin, d'abord, qui est devenue son interprète favorite, mais aussi Brigitte Bardot, Catherine Deneuve, Anna Karina, Isabelle Adjani. Sa fille Charlotte, devenue également actrice, a chanté avec lui.

Le style Gainsbourg

Sur des textes en français, des musiques nouvelles : telle est en résumé l'évolution qu'a connue la chanson en France ces dernières années. Et Gainsbourg est un de ceux qui ont le plus participé à ce mouvement. L'origine de ses musiques, il faut la chercher un peu partout. Aussi bien chez les classiques revisités (Chopin : *Lemon incest* ou Brahms : *Baby alone in Babylone*) que dans toutes les musiques venues des autres rives de l'Atlantique. Pour les textes, il joue beaucoup avec les mots comme, par exemple, dans *Haine pour aime* :

« Amour hélas ne prend qu'un M
Faute de frappe c'est haine pour aime
H.A.I.N.E.
Sur I.B.M.
A.I.M.E.
Moi si tu veux. »

---

1. Galaxie : ensemble d'étoiles qui tournent ensemble autour d'un centre ; personnes ayant des rapports (amicaux, professionnels) avec une autre...

Serge Gainsbourg, avec Jane Birkin, dans les années 70. Un style...

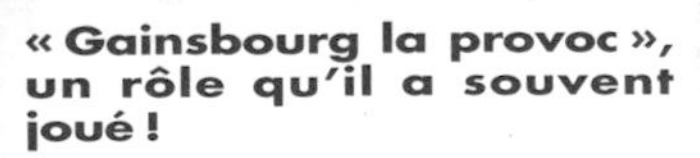

« Gainsbourg la provoc », un rôle qu'il a souvent joué !

Aux victoires de la Musique, en 1990, en compagnie de Vanessa Paradis. Une consécration.

Il aime aussi les jeux de mots bilingues et il est habitué à mélanger l'anglais et le français :

« Ex-fan des sixties [1]
Petite baby doll [2]
Comme tu dansais bien le rock and roll. »

Serge Gainsbourg est mort en mars 1991. Il est un peu tôt pour dire exactement quel aura été son rôle dans la chanson française. Mais on peut penser que c'est un peu celui qu'a joué Trenet quarante ans plus tôt. En tout cas, Gainsbourg aura montré que la langue française peut se mélanger avec toutes les musiques. Avant lui, beaucoup disaient que c'était impossible.

---

1. Sixties : les années 60.
2. Baby doll : poupée.

CHAPITRE 3

LA NOUVELLE CHANSON FRANÇAISE

LA RELÈVE [1]

Au début des années 80, la radio et les journaux se sont mis à parler d'une « nouvelle chanson française ».

C'est *Vancouver* qui, en 1976, fait de Véronique Sanson une vedette. La première, elle a fait ce qu'un très nombreux public de jeunes attendait : de la pop music à la française. Après un long séjour aux États-Unis (entrecoupé cependant avec des concerts en France), elle est plus présente que jamais, avec notamment l'un des tubes de 1992, *Rien que de l'eau*.

En 1976, tandis que *Rockcollection*, chanté par Laurent Voulzy, fait un malheur [2] sur les plages, une manière nouvelle apparaît dans la chanson française avec Alain Souchon (*J'ai dix ans, Allô maman bobo*). Depuis, l'association de Souchon (pour les paroles) et de Voulzy (pour la musique) marche toujours aussi bien. De la nostalgie [3], beaucoup d'humour et de sensibilité, un style juste pour des paroles auxquelles on porte attention, une musique sur mesure, un très bon accompagnement, telles sont les principales raisons de leur réussite.

Renaud (dont le nom de famille est Séchan) a commencé à chanter dans la rue, comme les grands ancêtres qu'il admire. Révélé par *Laisse béton*, il a mis en

1. Relève : ceux qui viennent pour remplacer.
2. Faire un malheur : avoir un très grand succès, en français populaire.
3. Nostalgie : tristesse causée par la distance avec le passé, son pays, etc.

scène la banlieue, avec sa violence et son parler populaire, un peu à la manière d'un western. Mais c'est un tendre, Renaud, en même temps qu'un révolté et un anarchiste. Et la plupart de ses chansons, de *Pierrot* au *Petit voleur*, sont avant tout des chansons pleines de tendresse :

« Te raconter enfin
Qu'il faut aimer la vie
Et l'aimer même si
Le temps est assassin
Et emporte avec lui
Les rires des enfants. »

in *Mistral gagnants*, © Mino Music, 1985.

Yves Duteil a eu sa guitare qui le démangeait[1] :

« J'ai la guitare qui me démange
Alors je gratte un petit peu. »

© L'Écritoire

Après quoi, continuant sur cette lancée, il a chanté plusieurs chansons qui ont plu, comme *la Langue de chez nous* ou *Prendre un enfant par la main*. On est touché par sa sensibilité et son humour.

Francis Cabrel est du Sud-Ouest. Il y habite le plus souvent possible et en a gardé l'accent. Avec *Je l'aime à mourir* (1979), il a montré que la nouvelle chanson française ne fleurissait pas seulement à Paris. De nombreux autres titres sont venus le confirmer[2] depuis.

Michel Jonasz, ça sonne comme jazz. De *Du blues, du blues, du blues* à *Groove, baby, groove* en passant par *Joueurs de blues, la Boîte de jazz* ou *Ray Charles*, cette musique est toujours le point de départ de ses chansons. Et en plus, Jonasz a l'âme slave : nostalgie, passages rapides de la gaieté à la tristesse, joie de

---

1. Démanger : piquer légèrement comme une maladie de la peau.
2. Confirmer : rendre plus sûr, plus certain.

vivre malgré tout... Mais il lui a fallu du temps pour imposer ce son et ce style qui font de lui un des chanteurs actuels les plus originaux.

Entre ses débuts avec ses copains et sa guitare et le premier album en solo (1974), il y a eu de longues années difficiles. Et entre ce premier disque et ses trois Victoires de la Musique en 1985, encore dix ans pendant lesquels ses disques étaient remarqués par la critique, passaient à la radio, mais se vendaient peu. Le grand public a fini par entrer dans le monde de ce « Monsieur Swing » qui sait faire de chaque chanson un acte d'amour.

Bernard Lavilliers est un rebelle [1]. Il a chanté les voyous [2] et la banlieue (*les Barbares* en 1976), le Nordeste brésilien et la révolution, le ghetto [3] et la Salsa [4], la musique des Latino-Américains. Plus récemment, incapable de tenir en place, il a pris la route (en chanson du moins) avec *On the road again* et le chemin de la nostalgie avec *l'Outremer.*

Homme du Nord comme Jacques Brel, Pierre Bachelet en a un peu la « gueule » [5]. Il a écrit la musique de plusieurs films à succès (*Emmanuelle*) et aussi des chansons de forme traditionnelle comme celle qui l'a fait connaître (*les Corons*) ou *Flo,* chantée en duo avec la navigatrice Florence Arthaud.

Daniel Balavoine s'est tué dans un accident lors du rallye automobile Paris-Dakar. Le rôle qu'il tenait dans *Starmania* l'avait révélé au grand public. Ensuite, des chansons comme *Mon fils, ma bataille* ou *Laziza* avaient montré son envie d'aller toujours plus

---

1. Rebelle : qui refuse d'obéir.
2. Voyous : garçons qui passent leur temps dans la rue.
3. Ghetto : quartier où vit un groupe de gens, sans contacts avec le reste de la ville.
4. Salsa : musique de Cuba.
5. Gueule : nom très populaire du visage.

loin. Il s'était aussi engagé dans l'action pour aider les pays pauvres.

Longtemps Michel Berger a travaillé dans l'ombre. Il écrivait des chansons pour les autres, produisait* et publiait leurs disques. Il a ainsi aidé au succès de Véronique Sanson et de France Gall au milieu des années 70. Puis, avec le Québécois Luc Plamondon, il a composé *Starmania*, l'un des très rares opéras-rock français a avoir connu le succès. C'est en 1980 seulement qu'il se décide à chanter lui-même ce qu'il écrit. En même temps, il met en scène des récitals (ceux de son épouse France Gall notamment) et tourne des clips. Durant l'été 1992, un arrêt du cœur a mis fin à cette grande activité.

Jean-Jacques Goldman a chanté avec divers groupes avant d'exploser en solo dans les années 80. C'est le premier chanteur qui vend à la fois des 45 tours et des albums. Son public est très jeune. Des milliers d'adolescentes se pressent à ses concerts comme leurs mères vingt ans plus tôt à ceux de Johnny Hallyday. Seulement, à la différence de ce qui se passait au temps du yéyé, l'idole est nettement plus âgée que ses fans — J.-J. a largement l'âge d'être leur père. Signe des temps : c'est dur, dur d'être adolescent !

C'est *Gaby*, en 1980, qui attire l'attention sur Alain Bashung. Lui n'est pas un débutant ; depuis longtemps il fait du rock et fréquente le monde de la musique. Mais cette fois, c'est un vrai départ. Plusieurs chansons, certaines signées par Gainsbourg, plusieurs albums et des concerts toujours marqués par l'empreinte du rock ont montré, depuis, qu'il est une valeur sûre de la chanson française.

Avant d'être connu du grand public, Étienne Daho a longtemps traîné dans la vie musicale (il a travaillé avec le groupe Marquis de Sade, avec Françoise Hardy, notamment). En 1985, un premier passage à

Alain Souchon, le tendre.

Véronique Sanson,
la chanteuse pop.

Renaud, l'anarchiste.

Bernard Lavilliers,
le rebelle.

Michel Jonasz,
le chanteur de blue

Daniel Balavoine et France Gall, dans *Starmania*.

Alain Bashung, chanteur rock, est une valeur sûre.

l'Olympia montre que le moment est venu pour la « génération [1] du plaisir » dont font aussi partie Lio (*Banana Split*), Caroline Loeb (*C'est la ouate qu'elle préfère*) et Elli Medeiros (*Toi, toi mon toit*). Par la suite, Daho a montré son talent avec des chansons un peu plus riches que celles des débuts (*Voyages immobiles, Goûter à tout*).

Rita Mitsouko, c'est le nom d'un duo : Catherine Ringer écrit les paroles et chante ; Fred Chichin est compositeur et guitariste. Ils sont apparus en 1985 avec un titre *Marcia Baïla* qui a été un très grand succès. Fait chez eux avec très peu de matériel et d'argent, ce disque est un mélange de toutes sortes de musiques. Il montre bien les directions nouvelles qu'a prises la chanson française. D'ailleurs, très vite, les Rita Mitsouko, grâce au soutien de clips très réussis, ont été largement connus et écoutés aussi hors de France.

LES « PETITS NOUVEAUX »

Le début des années 90 a vu la confirmation d'un certain nombre de chanteurs et chanteuses, ceux qu'on peut appeler gentiment les petits nouveaux.

Stéphane Eicher est un Suisse qui chante en anglais ou en français et même dans la langue de sa région. Il représente bien ce mouvement de la chanson française vers l'ouverture au monde. Voici, d'après son dernier album, comment faire un disque réussi aujourd'hui :

1. prendre les textes d'un écrivain à succès ;
2. choisir d'excellents musiciens ;
3. s'installer longtemps dans un ancien casino, au-dessus d'un lac, dans la montagne, pour enregistrer.

---

1. Génération : ensemble des personnes nées à la même période.

Résultat : une « atmosphère ». Car c'est aussi ça une bonne chanson, une atmosphère que deux minutes et demie de mots et de musique arrivent à faire naître.

Vanessa Paradis a débuté très jeune. Elle avait quinze ans à peine quand sa chanson *Joë le taxi* s'est trouvée en tête des classements en France et aussi, plus rare pour une chanson française, en Angleterre (1987). Depuis, plusieurs disques ont montré qu'elle allait durer. Un disque compact paru en 1992 a confirmé qu'elle est la chanteuse française la plus internationale ; seule ombre au tableau, il est tout en anglais.

Patricia Kaas, elle aussi, chante le blues (*Mademoiselle chante le blues*). Elle a une voix, un physique, une présence, elle bouge bien sur scène (et en vidéo). Il est certain qu'on entendra parler de cette jeune Lorraine dans les années à venir, ou plutôt, qu'on l'entendra chanter.

Patrick Bruel n'est pas un débutant. Son succès délirant au début des années 90, comme celui de J.-J. Goldman, confirme le goût des adolescentes (et adolescents) pour des idoles nettement plus âgées. Il a déjà derrière lui une assez longue carrière au cinéma. Comme il semble avoir assez de bon sens pour ne pas perdre la tête à cause du succès, on peut penser que sa carrière durera.

Arthur H., c'est le petit nouveau qui monte lentement. Il a de qui tenir, puisque derrière le H. se cache son nom de famille : Higelin (c'est le fils de Jacques Higelin). Mais il pourrait aussi passer pour le fils de Gainsbourg dont il a la voix usée et cette façon de parler plutôt que de chanter qu'avait le grand Serge vers la fin.

Arthur H. réunira-t-il 850 000 spectateurs comme l'a fait la tournée de Johnny Halliday en 1992 ? Peut-être pas. Mais comme Hubert-Félix Thiéfaine, comme Charlélie Couture ou Tom Novembre ou, dans un

Vanessa Paradis, une chanteuse qui se confirme.

Patrick Bruel, la nouvelle idole des jeunes.

Patricia Kaas, une voix, un physique, une présence.

Les Gipsy Kings : une musique proche du flamenco.

La Mano Negra : plus qu'un groupe, une famille.

Les Innocents, c'est un groupe qui monte.

genre différent, Jean Guidoni, il fera partie de ces chanteurs de la durée. Ceux qui, forts du soutien d'un public fidèle seront au rendez-vous de la scène pendant de très longues années. Un peu à la manière de certains bluesmen qui n'en finissent pas de devenir meilleurs en vieillissant.

Les groupes

À ces noms il faut en ajouter d'autres. D'abord des noms de groupes, car le nombre important des groupes qui ont beaucoup de succès est une des caractéristiques[1] des années 90.

Autrefois, cela fait déjà quinze ans, il y avait Téléphone. C'était avec Trust le plus populaire des groupes français. Après la séparation du groupe, seul Jean-Louis Aubert, son chanteur et guitariste, a continué une bonne carrière en solo.

Indochine prit la relève. Ce fut le grand succès de *l'Explorateur* et les 700 000 exemplaires vendus de leur troisième album, en 1986. L'exemple était donné.

Avec *Bamboleo* et *Djobi, Djoba,* les Gipsy Kings se sont imposés en tête de tous les classements, en 1988. Ces gitans[2], rassemblés autour de Nicolas Reyes, le chanteur, et de Tonino, le guitariste, chantent en espagnol sur une musique proche du flamenco*. Ils sont pourtant parmi les groupes français dont le succès est le plus grand à l'étranger.

Les Négresses Vertes ont su mélanger les musiques les plus diverses (flamenco, musique d'Afrique du Nord) pour en faire des chansons originales et piquantes à entendre. Malheureusement la mort

---

1. Caractéristiques : ce qui marque, qui permet de ne pas ressembler aux autres.
2. Gitans : peuple qui n'a pas de pays ; on les appelle aussi les gens du voyage.

d'Helno, le chanteur et parolier, rend incertain l'avenir de ce groupe qui a apporté un son neuf à la chanson française.

La Mano Negra (main noire, en espagnol), plus qu'un groupe, c'est toute une famille et même un groupe de familles. Les musiciens qui la composent viennent d'un peu partout, comme la musique qu'ils font, un peu arabe, un peu espagnole, un peu parisienne populaire. En 1992, la Mano Negra a fait une longue tournée en bateau dans les pays d'Amérique du Sud.

L'Affaire Luis'trio, ce sont trois Lyonnais, une atmosphère qui rappelle un peu les chansons sucrées des grands crooners*, des musiques très travaillées, une bonne présence. Ils ont été la révélation 87 aux Victoires de la Musique.

Chanson Plus Bifluoré, Pow Wow, les Innocents, les Avions, Au Petit bonheur, les Garçons Bouchers... La liste serait longue si l'on voulait nommer tous ceux qui se partagent la faveur d'un public de plus en plus nombreux, pour les disques comme dans les salles de spectacle.

LA « WORLD MUSIC »

Si bizarre que cela paraisse, une bonne part de la chanson française n'est pas francophone. Et pas seulement quand les Gipsy Kings chantent en espagnol ou qu'un chanteur fait un disque en anglais. Beaucoup de chanteurs et de musiciens ont une double culture musicale. Ils sont originaires d'une région de France où existe une langue locale ; ils viennent des départements français d'outre-mer [1] ou d'une ancienne colonie*. Tous parlent français mais chantent soit en français soit dans la langue de leur pays ou de leur région.

1. Départements français d'outre-mer : départements français hors de France.

Quant à la musique qu'ils jouent, si elle est encore proche de la tradition, elle est fortement modernisée, jouée avec des instruments modernes et, de plus en plus souvent, proche d'autres traditions.

Les Antilles

De la musique pour faire danser, mais que l'on peut aussi venir écouter : tel est, au départ, le but de Malavoi, le premier groupe antillais à avoir connu du succès loin de ses îles natales.

Après eux est arrivé Kassav, formé en 1982 par d'excellents musiciens. Ce groupe mélange la biguine [1], la percussion* antillaise et le funk*. Très vite, chacun de ses concerts transforme les salles en bals créoles, à Paris comme en Afrique noire, au Brésil, aux États-Unis...

Les groupes antillais sont de ceux qui s'exportent [2] le plus facilement vers les pays anglo-saxons.

L'Afrique noire

Pour diverses raisons qui tiennent à l'histoire, c'est par le passage sur les radios françaises, écoutées dans toute l'Afrique francophone, que les chanteurs d'un pays africain se font connaître dans le pays voisin. Ainsi Paris est-il devenu la capitale de la musique africaine.

Sénégalais, les frères Toure Kunda sont les premiers Africains à avoir conquis [3] la France (disque d'or en 1983). Car leur musique, d'abord destinée aux black [4], a bien plu à tout le monde.

---

1. Biguine : musique traditionnelle des Antilles.
2. S'exporter : vendre à l'étranger.
3. Conquérir : gagner, charmer.
4. Black : les Noirs, ainsi qu'ils se surnomment eux-mêmes, en anglais.

Comme Mori Kanté, Alpha Blondy, Salif Keita, Angélique Kidjo, Ray Lema, beaucoup de chanteurs africains utilisent le français dans leurs chansons. Mais c'est un français enrichi par des mots et des expressions locales. Les pays de la francophonie ne manquent pas d'imagination quand il s'agit d'adapter ou d'inventer des mots.

Il est certain, tant leurs qualités musicales et leur enthousiasme sont grands, que les musiciens africains vont tenir une place de plus en plus grande dans la chanson française. Mais ils devront partager leur place avec les musiciens originaires d'Afrique du Nord.

Le Maghreb

Leur interprétation de *Douce France*, la chanson de Charles Trenet, a révélé Carte de Séjour. Si ce groupe de beurs[1] affirme jouer du rock, il s'agit évidemment d'un rock qui doit autant au raï* qu'au blues.

Leur succès a sûrement aidé à faire connaître le raï, qui au même moment, est arrivé en France, ou, du moins, est sorti du cercle assez étroit de ses auditeurs habituels.

Raïna Raï, Khaled (qui a fait ses débuts sous le nom de Cheb Khaled, cheb voulant dire jeune), Cheb Mami, Cheb Kader, Cheb Hasni, autant de noms désormais bien connus en France mais aussi en Hollande, en Espagne, en Italie, en Allemagne, en Angleterre, en Finlande, en Suède, en Norvège, au Danemark, où leurs cassettes se vendent bien.

Et aussi, bien sûr, en Afrique du Nord, où le raï, musique joyeuse qui pousse à l'amour et à la danse, veut dire modernité et liberté.

---

1. Beurs : enfants d'émigrants d'Afrique du Nord, nés en France.

Kassav, le groupe antillais le plus connu. Une musique pour faire danser.

Les frères Toure Kunda ont conquis la France.

Angélique Kidjo. Une présence africaine.

Alpha Blondy chante en français avec les mots de son pays.

Amina : une manière de transformer les chansons en lieux d'échanges.

Khaled est le plus connu des chanteurs d'Afrique du Nord.

Même quand elle chante du rock, Sapho n'oublie pas ses origines musicales orientales. Et en 1986, elle a repris les chansons de la grande chanteuse égyptienne Oum Kalsoum. Elle a reparu sur scène en 1992 dans un spectacle dont le nom, *la Traversée du désir*, est tout un programme.

Pour être complet — mais comment l'être ? — il faudrait signaler d'autres noms, ceux de Karim Kacel ou d'Amina, par exemple. Mais plus que des personnes, c'est un esprit qui compte, une manière de transformer les chansons en un lieu de croisements et d'échanges, qui sont les vraies racines de la chanson populaire.

C'est ce que font les chanteurs qui comptent actuellement : mélange, fusion, métissage [1], ils font leurs chansons comme se fait le miel, qui vient un peu de toutes les fleurs.

Et maintenant ?

Le disque ne va pas trop bien : les ventes baissent, la chanson française souffre face à l'invasion de la variété en langue anglaise. Il n'y a pas de vraies émissions de chansons à la télévision. Les radios lassent [2] la curiosité en passant toujours les mêmes disques. Le Top 50 incite à la création de « produits » musicaux de qualité médiocre mais qui se vendent. Il n'y a plus de salles où les jeunes peuvent apprendre le métier.

Alors, tout est-il si sombre ? Tout va-t-il si mal ? La chanson française est-elle en train de mourir ? Certainement pas.

D'après ce que l'on observe depuis quelque temps, les gens ont appris à faire attention à ce qu'ils achètent. On peut donc penser que le grand public saura

1. Métissage : mélange de races.
2. Lasser : fatiguer.

de mieux en mieux faire la différence entre les mauvais produits musicaux et les vraies chansons. Et il aura le choix : on peut voir aujourd'hui combien la qualité d'ensemble de la chanson française a monté depuis qu'on a enfin compris qu'une bonne chanson ce n'est pas seulement un texte poétique, mais la rencontre du texte et de la musique. En fait, depuis que la bonne chanson n'est plus réservée à une élite [1], la chanson française se porte beaucoup mieux et elle ira de mieux en mieux, car de plus en plus de gens s'intéresseront à elle.

1. Élite : petit nombre de gens avantagés par l'intelligence ou la fortune.

Mots et expressions

Acoustique, *f.* : sans instrument électrique ; actuellement, on utilise beaucoup à sa place « unplugged », qui veut dire débranché (coupé de l'alimentation électrique) en anglais.

Album, *m.* : autrefois disque noir de 30 cm comprenant plusieurs chansons ; aujourd'hui, la même chose mais en disque compact.

Audiovisuel, *m.* : ce qui touche à l'image et au son, par conséquent, entre autres, la radio et la télévision.

Auteur, *m.* : il écrit le texte des chansons, les paroles.

Blues, *m.* : musique des Noirs du sud des États-Unis. Le blues est une musique assez lente et triste, à l'origine du jazz. En américain, *blues* signifie « idées noires ».

Carrière, *f.* : l'ensemble de la vie professionnelle.

Clip (ou vidéoclip), *m.* : petit film très court fait exprès pour accompagner une chanson.

Colonie, *f.* : région ou pays qui est sous le contrôle d'un pays étranger.

Compositeur, *m.* : il écrit la musique des chansons.

Crooner, *m.* : chanteur de charme américain un peu sucré, comme Frank Sinatra ou Bing Crosby.

Éditeur, *m.* : il fait et vend les disques ; l'éditeur édite et réédite (quand il remet en vente un disque qui a déjà été édité). Le mot *éditeur* s'utilise aussi pour les livres.

Fan (ou fana), *m.* : qui admire très vivement (abréviation de « fanatique »).

Flamenco, *m.* : musique espagnole traditionnelle jouée surtout par les gitans et qui vient en partie de la musique arabe ancienne.

Funk, *m.* : musique née aux États-Unis, proche du jazz mais plus dure, plus violente.

Gala, *m.* : tour de chant d'une seule vedette, sans première partie, où paraissent des chanteurs débutants.

Idole, *f.* : ici, vedette que l'on aime par-dessus tout.

Intégrale, *f.* : toutes les chansons d'un chanteur sur plusieurs disques rangés dans une même boîte.

Interpréter : chanter avec sa sensibilité propre. *L'interprète* chante une chanson (qui peut être écrite par d'autres).

Music-hall, *m.* : une grande salle de spectacle comme, par exemple, l'Olympia, à Paris, où l'on vient écouter les chanteurs célèbres.

Parolier, *m.* : il écrit les paroles d'une chanson ; synonyme d'« auteur ».

Percussion, *f.* : différents instruments dont on joue en frappant avec les mains ou avec une baguette.

Play-back, *m.* : l'accompagnement musical enregistré sur une bande. Mais chanter en *play-back* veut aussi dire faire semblant de chanter pendant qu'est diffusée la chanson enregistrée sur bande. À l'origine, on utilisait cette technique pour pouvoir danser en chantant ; aujourd'hui tous ceux qui ne savent pas chanter l'emploient.

Première, *f.* : la première est le premier spectacle d'une série.

45 tours, *m.* : petit disque noir avec une chanson sur chaque face.

Raï, *m.* : musique originaire du Maghreb qui mélange tradition et modernité.

Récital, *m.* : un spectacle complet donné par un seul chanteur (on dit aussi *gala*).

Reprendre en chœur : se dit d'un groupe de gens qui chantent de nouveau ce qu'une personne a déjà chanté seule.

Scène, *f.* : endroit d'un théâtre où les acteurs jouent, où les chanteurs chantent, avec leurs musiciens.

Tour de chant, *m.* : suite de chansons interprétées par un chanteur ou une chanteuse.

Tournée, *f.* : le fait d'aller de ville en ville pour chanter.

Tube, *m.* : chanson que l'on entend beaucoup à la radio et à la télévision et qui a un gros succès commercial.

COLLECTION
LECTURE FACILE

TITRES PARUS OU À PARAÎTRE

Série Vivre en français

La Cuisine française (niveau 1)*
Le Tour de France (niveau 1)

La Grande Histoire de la petite 2cv (niveau 2)*
La Chanson française (niveau 2)
Le Cinéma français (niveau 2)

Cathédrales et abbayes de France (niveau 3)

Série Grandes œuvres

Carmen, *P. Mérimée* (niveau 1)*
Contes de Perrault (niveau 1)*

Lettres de mon moulin, *A. Daudet* (niveau 2)*
Le Comte de Monte-Cristo, *A. Dumas*, tome 1 (niveau 2)*
Le Comte de Monte-Cristo, *A. Dumas*, tome 2 (niveau 2)*
Les Aventures d'Arsène Lupin, *M. Leblanc* (niveau 2)*
Poil de Carotte, *J. Renard* (niveau 2)
Notre-Dame de Paris, *V. Hugo*, tome 1 (niveau 2)
Notre-Dame de Paris, *V. Hugo*, tome 2 (niveau 2)
Germinal, *E. Zola* (niveau 2)

Tartuffe, *Molière* (niveau 3)*
Au Bonheur des Dames, *E. Zola* (niveau 3)*
Bel-Ami, *G. de Maupassant* (niveau 3)*

Série Portraits

Victor Hugo (niveau 1)

Colette (niveau 2)*
Les Navigateurs français (niveau 2)

Coco Chanel (niveau 3)
Gérard Depardieu (niveau 3)*

*Un dossier de l'enseignant est paru pour ces 12 premiers titres.
Un autre est en préparation pour les 12 autres titres.

Imprimé en France par I.M.E. - 25110 Baume-les-Dames
Dépôt légal n° 5536-07/1993
Collection n° 04 - Edition n° 01
15/4960/9